In the series *Learn Gaelic with Folk Tales*:

Ròna agus MacCodruim

Deirdre agus an Rìgh

More info at:
https://en.arcospublishers.com/gaelic

Ròna agus MacCodruim

Second revised & illustrated edition

A short novel for Gaelic learners

Jason Bond

art by Tamara Magruder

Second edition, 2020

Ròna agus MacCodruim

Second illustrated edition 2020

Author: Jason Bond
Editor: Kirstin Plante
Illustrator: Tamara Magruder
Design: Arcos Publishers

Arcos Publishers
Molengouw 36
1151 CJ Broek in Waterland
info@arcospublishers.com
www.arcospublishers.com

ISBN 9789490824549

BISAC FOR029000, FIC010000, LAN012000
Keywords: language learning, Gaelic, level 1, CERF A1, folk tale

Contents

Praise for Ròna from Gaelic learners

"A brilliant first read in Gaelic. Ròna is a perfect blend of the easily accessible and the slightly more advanced, such that the reader is borne along to greater comprehension almost without realizing it. It's also a fine read. Highest recommendation!"

"A great book for adult learners. The story is told in a way which allows readers to see the language in multiple different tenses and forms. The mini dictionary at the back is also great! Best learner book in Gaelic I've come across."

"This short novel is cleverly written to make it a pleasure to read, even for those readers who find the language difficult. A classic story told well, what more could you ask?"

"As a beginner, I found it wonderful to be able to read a wee story fairly easily."

"A must for every Gaelic learner! Each chapter skillfully builds vocabulary, cleverly repeating words or phrases in a way to help you stack your learning but without feeling like rote repetition. The story itself is very enjoyable, as well. I cannot tell you how proud I felt after finishing that first chapter! It was such a departure from my usual learning materials."

Preface to the Second Edition

Fàilte oirbh! Welcome! Two years ago, when I wrote the first draft of Ròna (on a flight from Iceland to Boston), I had no idea it would become so popular among Gaelic learners. Many of my own students asked to read it together and I saw their experiences first hand. It was inevitable that the teacher in me (pun intended) would want the story to be even smoother and more enjoyable. After all, pleasure reading should be, dare I say, pleasurable.

Therefore, this edition of Ròna has more footnotes to clarify certain Gaelic phrases that are hard to decode word-by-word. The glossary is now more efficient so that you spend less time looking things up and more time immersed in the story. A few words and phrases have also been tweaked to align with other novels in this series. Finally, the overall spelling has been edited according to the Gaelic Orthographic Conventions in Scotland so that you'll be able to read other Gaelic books more easily.

Enjoy the story!

-Jason Bond

Seinn

Bha duine a' fuireach air eilean beag. B' e MacCodruim an t-ainm a bh' air an duine[1]. Bha an t-eilean brèagha agus sàmhach. Bha MacCodruim a' fuireach ann an taigh. Bha an taigh caran beag agus bha e faisg air a' chladach. Bha an cladach brèagha. Bha MacCodruim a' fuireach faisg air a' mhuir, oir bha e na iasgair.

Bha MacCodruim math air iasgach. Bha bàta mòr luath aige. Gach latha, bhiodh e anns a' bhàta, ag iasgach agus a' seinn ris fhèin. Bha e math air seinn cuideachd. Ach ged a bha e[2] math air seinn agus math air iasgach, bha e brònach.

Bha e brònach, oir bha e aonaranach. Cha robh bean aige[3]. Bha MacCodruim aonaranach anns an

1. B' e MacCodruim an t·ainm a bh' air an duine – MacCodruim was the man's name
2. ged a bha e – although he was
3. Cha robh bean aige – He didn't have a wife

taigh. Bha an taigh aonaranach gun bhean. Bha e aonaranach anns an leabaidh cuideachd. Bha e ag iarraidh bean. Bha e ag iarraidh clann cuideachd: gille agus nighean.

Bha MacCodruim a' dol chun a' chladaich air madainn ghrianach. Bha e a' dol a dh'iasgach. Bha an latha math airson iasgaich, oir bha i grianach agus blàth. Bha an t-iasgach[4] na b' fhèarr nuair a bha i caran blàth agus caran grianach.

Chaidh e air a' chladach agus bha e a' seinn ris fhèin: "Tha bàta agam, tha taigh agam, ach chan eil bean bhrèagha agam ..."

Gu h-obann, chuala e seinn. Bha cuideigin eile a' seinn. Bha iad faisg.

"Cò tha sin?" thuirt MacCodruim. "Cò tha seinn? Cò tha sin?"

Bha creagan anns a' mhuir faisg air a' chladach. Bha ròin a' fuireach anns a' mhuir faisg air na creagan cuideachd. Bha an t-seinn bhrèagha a' tighinn bho na creagan. An robh cuideigin a' seinn

---

4. Bha an t·iasgachadh – The fishing was

air na creagan?

Tha sin caran neònach, smaoinich MacCodruim. Cha robh daoine eile a' fuireach faisg air a' chladach. Cha robh taighean eile ann. Bha ròin ann[5] ach cha robh daoine a' fuireach an siud.

"Hmmm," thuirt MacCodruim ris fhèin. "Cò tha sin? Cuideigin a' seinn air na creagan? Tha mi a' dol an siud."

---

5. Bha ròin ann – There were seals there

Na Creagan

Chuir e am bàta anns an uisge agus an uair sin
chaidh e gu na creagan. Gu h-obann, chunnaic e
boireannach. Boireannach brèagha. Bha i air na
creagan.

Bha i na suidhe agus bha i a' seinn. Bha a falt cho
donn ri cnòthan. Smaoinich MacCodruim gun
robh i brèagha. Glè bhrèagha. Am boireannach
a bu bhrèagha[6] a chunnaic e riamh[7]! Bha
MacCodruim ag iarraidh bruidhinn rithe. Chaidh
e faisg air na creagan. Nuair a bha e faisg, chunnaic
e a sùilean. Bha iad cho gorm ris a' mhuir.

"Latha math dhut," thuirt e rithe. "Is mise
MacCodruim."

Chunnaic am boireannach e. Stad i dhen t-seinn[8]

---

6. Am boireannach a bu bhrèagha – The most beautiful woman
7. a chunnaic e riamh – that he ever saw
8. Stad i dhen t·seinn – She stopped singing

nuair a chunnaic i e. Thuirt i rudeigin ach cha robh MacCodruim a' tuigsinn. Bha e ann an cànan neònach.

"Dè?" thuirt MacCodruim. "Chan eil mi a' tuigsinn." Na bheachd, bha am boireannach glè bhrèagha agus bha i caran neònach cuideachd. Dè bha i ag ràdh? Chan fhaca e bàta eile. Ciamar a fhuair i[9] gu na creagan? Nach robh bàta aice[10]?

Chunnaic MacCodruim rudeigin air na creagan. Rudeigin donn. Bha e faisg air an uisge. Còta. Bha e donn, cho donn ri cnòthan. *Còta?* smaoinich MacCodruim. *Tha an latha grianach agus blàth. Carson a tha còta aice? Chan eil mi a' tuigsinn.*

"Càit a bheil thu a' fuireach?" thuirt MacCodruim rithe. "A bheil thu a' fuireach faisg air a' chladach?"

Thuirt am boireannach rudeigin ach cha robh e a' tuigsinn. Bha i fhathast a' bruidhinn ann an cànan neònach.

Smaoinich MacCodruim ris fhèin: *Tha am*

9. Ciamar a fhuair i – How did she get
10. Nach robh bàta aice? – Didn't she have a boat?

boireannach as brèagha a chunnaic mi riamh an seo.
Tha i math air seinn. Tha cànan neònach aice agus
chan eil mi ga tuigsinn ach... tha mi sgìth de a bhith[11]
aonaranach. Tha boireannach aig a bheil[12] *cànan*
neònach nas fheàrr na a bhith aonaranach. Dè tha
mi a' dol a dhèanamh?

Bha am boireannach a' coimhead air a' mhuir
a-rithist. Bha i a' seinn a-rithist. Gu h-obann, chuir
MacCodruim an còta anns a' bhàta aige. Chuir e
an còta donn anns a' bhàta gu luath. Chan fhaca
am boireannach e, oir bha i fhathast a' coimhead
air a' mhuir.

"Tha mi a' dol dhachaigh," thuirt MacCodruim
rithe. Cha tuirt am boireannach càil.

Chaidh e air ais chun a' chladaich. Nuair a bha e air
a' chladach, choimhead e air a' chòta dhonn. Chan
fhaca e riamh[13] còta mar seo. Bha e gleansach agus
mìn. Cho mìn ri sìoda. Bha e a' coimhead daor[14].

---

11. sgìth de a bhith – tired of being
12. aig a bheil – who has
13. Chan fhaca e riamh – He had never seen
14. Bha e a' coimhead daor – it looked expensive

An robh am boireannach beairteach? Boireannach brèagha beairteach a bha na suidhe air creagan anns a' mhuir ... glè neònach.

Chaidh MacCodruim air ais gu na creagan anns an fheasgar. Bha am boireannach fhathast ann ach cha robh i a' seinn. Bha i sàmhach. Bha i a' coimhead brònach[15]. Glè bhrònach.

"Feasgar math dhut," thuirt MacCodruim. "Dè tha ceàrr?"

Bha i fhathast sàmhach. An robh i ag èisteachd?

"Carson a tha thu air na creagan seo?" thuirt e. "Nach eil bàta agad[16]?"

Cha tuirt i càil.

"A bheil an t-acras ort[17]?" thuirt MacCodruim rithe. "Biadh? Ithe?"

Choimhead i air[18].

"Dè an t-ainm a th' ort?" thuirt MacCodruim.

15. a' coimhead brònach – looking sad
16. Nach eil bàta agad? – Don't you have a boat?
17. A bheil an t-acras ort? – Are you hungry?
18. Choimhead i air – She looked at him

Carson a bha i cho sàmhach?

"Is mise Ròna," thuirt i gu h-obann.

"Tha mi gad thuigsinn! Ach … ach bha cànan neònach agad …"

"Tha cànan neònach agad fhèin[20]," thuirt Ròna.

"Tha an latha a' fàs fuar, a Ròna," thuirt MacCodruim. "Tha taigh agam faisg air a' chladach. Chan eil mi beairteach ach tha teine agus biadh anns an taigh agam. A bheil thu ag iarraidh dìnnear?"

"Tha," thuirt Ròna agus chaidh i dhan bhàta.

---

20. Tha cànan neònach agad fhèin – You have a strange language yourself

Uisge agus Èisg

Chaidh iad dhan taigh. Bha an oidhche a' tighinn agus bha an taigh caran fuar. Rinn MacCodruim teine.

"Suidh ri taobh[21] an teine, a Ròna. Tha e blàth an seo," thuirt e rithe. Chaidh Ròna chun an teine agus shuidh i. Chaidh MacCodruim gu preasa a bha ri taobh an dorais. Chuir e an còta donn dhan phreasa. Chan fhaca Ròna e.

"A bheil thu ag iarraidh càil?" thuirt MacCodruim nuair a bha e deiseil.

"Tha," thuirt Ròna bho ri taobh an teine. "Uisge."

Uisge a-rithist. Bha sin cho neònach. Chuir e uisge ann an cupa do Ròna. An uair sin, rinn e an dìnnear. Chuir e glasraich agus buntàta ann am poit air an teine agus rinn e brot. Chuir e dà iasg

---

21. Suidh ri taobh – Sit beside

air an teine cuideachd.

Nuair a bha am brot agus na h-èisg deiseil, chuir e aran air a' bhòrd. Bha an dìnnear deiseil. Bha MacCodruim na iasgair agus bha e eòlach air[22] iasgach. Cha robh e eòlach air còcaireachd.

"Tha an dìnnear deiseil. A bheil thu deiseil ri ithe, a Ròna?" thuirt MacCodruim. Bha e sona. Bha e cho math gun robh cuideigin eile[23] anns an taigh! Bha e cho sona gun robh iad ag ithe dìnnear còmhla. Bha e ag iarraidh "Ròna" a ràdh a-rithist agus a-rithist agus a-rithist.

Shuidh Ròna aig a' bhòrd. Choimhead i air a' bhiadh. Choimhead i air an aran.

"Dè tha sin?" thuirt i.

Dè? Nach eil i eòlach air aran? "Sin aran[24]," thuirt MacCodruim rithe. "Rinn mi fhìn e."

"Agus seo? Dè tha seo?"

---

22. bha e eòlach air – he knew about; was familiar with
23. gun robh cuideigin eile – that someone else was
24. Sin aran – That's bread

"Brot le glasraich agus buntàta. Tha e blasta."

"A bheil thu cinnteach?" thuirt Ròna. Choimhead i air an dà iasg air a' bhòrd.

"Sin èisg," thuirt MacCodruim.

"Na bi gòrach!" thuirt i gu feargach. "Tha fios agam! Chunnaic mi èisg roimhe!"

Cha do dh'ith Ròna an t-aran no am brot. Dh'ith i an dà iasg agus dh'òl i an t-uisge.

Às dèidh na dìnneir[25], rinn MacCodruim an leabaidh dhi. Bha Ròna na suidhe aig an uinneag ri taobh an teine, a' coimhead air a' mhuir. Bha i fhathast a' coimhead brònach agus bha i sàmhach.

Carson a tha i brònach? smaoinich MacCodruim ris fhèin. *Chan eil i na suidhe air creagan fuara. Tha teine againn anns an taigh agus tha sinn blàth. Bha dìnnear mhath againn. Carson nach eil i[26] sona? 'S dòcha gu bheil i[27] a' fàs sgìth.*

"A bheil thu sgìth?" thuirt MacCodruim. "Tha an

---

25. Às dèidh na dìnneir – After (the) dinner
26. Carson nach eil i ...? – Why isn't she...?
27. 'S dòcha gu bheil i – Maybe she is

leabaidh deiseil dhut."

"Chan eil mi ag iarraidh a bhith anns an leabaidh."

"A bheil thu cinnteach, a Ròna? Tha i caran beag ach tha i blàth."

Bha i sàmhach a-rithist.

"A bheil thu ag iarraidh càil?" thuirt MacCodruim rithe.

"Uisge. Ann an cupa."

Teaghlach

Bliadhna às dèidh bliadhna, dh'fhuirich Ròna agus MacCodruim còmhla. Rinn iad dachaigh anns an taigh faisg air a' chladach. Bha clann aca cuideachd. Bha nighean aca. B' e Eilidh an t-ainm a bh' oirre. Bha i ochd bliadhna a dh'aois. Bha gille beag aca cuideachd. B' e Calum an t-ainm a bh' air. Bha e còig bliadhna a dh'aois.

Cha robh a' chlann coltach ri MacCodruim idir. Bha iad coltach ri Ròna, le falt cho donn ri cnòthan agus sùilean cho gorm ris a' mhuir. Smaoinich MacCodruim gum b' iad an nighean agus an gille a bu bhrèagha. A' chlann a bu bhrèagha[28] a chunnaic e riamh.

Bha MacCodruim glè shona a-nis. Bha e sona, oir bha bean agus clann aige! Cha robh an taigh aonaranach le bean agus clann ann. Bha e sona

---

28. A' chlann a bu bhrèagha – the most beautiful children

gun robh Ròna a' dèanamh còcaireachd cuideachd. Bha i na b' fheàrr air còcaireachd. Bha i math air aran a dhèanamh agus bha i math air brot le iasg a dhèanamh cuideachd. Bha biadh na b' fheàrr aca.

Gach latha, bhiodh MacCodruim ag iasgach anns a' bhàta aige. Bhiodh e a' seinn cuideachd: "Tha bean agam, tha taigh agam, tha clann anns an taigh agam …" Bhiodh Ròna còmhla ri Eilidh agus Calum. Bhiodh iad a' snàmh còmhla agus a' cluich còmhla. Bhiodh iad a' dèanamh biadh còmhla cuideachd.

Gach feasgar, bhiodh Ròna na suidhe aig an uinneag, a' coimhead air a' mhuir. Aon latha, bha MacCodruim a' tighinn dhachaidh bhon chladach. Chunnaic e i na suidhe aig an uinneag. *O, tha mo bhean a' coimhead orm*, smaoinich e. *Nach eil sin math*[29]? *Tha mi fortanach.* Ach, bha e ceàrr, oir bha i a' coimhead air a' mhuir.

Air feasgar fuar, bha MacCodruim a' dol dhachaigh. Bha e glè sgìth agus bha fearg air[30]

---

29. Nach eil sin math? – Isn't that nice?
30. bha fearg air – he was angry

cuideachd. Cha robh an t-iasgach cho math an latha sin. Cha robh èisg aige airson na dìnneir. Chaidh e air ais chun a' chladaich. Chaidh e dhan taigh. Bha Ròna agus Eilidh a' dèanamh brot air an teine. Bha Calum a' cur chupannan air a' bhòrd.

"Athair! Tha thu air ais!" thuirt Eilidh agus ruith i thuige. Ruith Calum thuige cuideachd.

"Tha an dìnnear gu bhith deiseil," thuirt Ròna. "Dè fhuair thu an-diugh, a ghràidh?"

"Cha d' fhuair mi càil," thuirt MacCodruim le fearg. "Cha robh na h-èisg ag iarraidh tighinn."

"Cha tàinig iad idir?"

"Cha tàinig càil," thuirt MacCodruim rithe. Shuidh e aig a' bhòrd gu feargach.

"Uill, tha aran againn," thuirt Ròna. "Tha bainne agus buntàta againn. Tha maorach agam cuideachd. Fhuair mi iad air a' chladach an-diugh."

"Maorach[31]?! Chan eil sinn beairteach ach chan eil sinn a' dol a dh'ithe maorach."

---

31. Centuries ago, shellfish was considered the food of the poor.

"Tha iad nas fheàrr na a bhith gun bhiadh," thuirt Ròna. Bha i ceart ach cha robh MacCodruim ag iarraidh a ràdh gun robh[32].

"Maorach," thuirt e gu feargach. "Maorach airson na dìnneir!"

Nuair a bha am brot agus am buntàta deiseil, shuidh Ròna agus a' chlann aig a' bhòrd. Dh'ith iad gu sàmhach, oir bha MacCodruim fhathast a' coimhead feargach.

Chan eil seo ceart, smaoinich MacCodruim gu h-obann. *Tha mi ag ithe còmhla ri mo bhean agus còmhla ri mo chlann. Tha dìnnear mhath againn. Feumaidh mi a bhith taingeil gu bheil biadh againn[33]. Tha sinn fortanach.*

"Tha mi ag iarraidh a ràdh," thuirt e, "gu bheil mi duilich. Bha fearg mhòr orm nach d' fhuair mi èisg an-diugh. Chan eil e ceart a bhith feargach ribh. Bha mi gòrach agus tha mi duilich."

Choimhead Ròna air. "Tha mi taingeil gun tuirt

---

32. a ràdh gun robh – to say that (she) was
33. gu bheil biadh againn – that we have food

thu sin[34], a ghràidh. A-nise, feumaidh sinn ithe no bidh am biadh fuar."

34. gun tuirt thu sin – that you said that

Rìgh nan Ròn

"A Mhum[35]," thuirt Eilidh, "tha mi ag iarraidh sgeulachd."

"Dè an sgeulachd a tha thu ag iarraidh, Eilidh?"

"Rìgh nan Ròn!"

Rìgh nan Ròn? Dè tha sin? smaoinich MacCodruim.

"Cò a th' ann an[36] Rìgh nan Ròn?" thuirt e.

"Rìgh a tha a' fuireach anns a' mhuir," thuirt Eilidh.

"Anns a' mhuir? Rìgh?"

"Tha sin ceart, a ghràidh," thuirt Ròna. "A Chaluim, a bheil thu ag iarraidh sgeulachd Rìgh nan Ròn cuideachd?"

Bha Calum a' coimhead oirre le sùilean mòra. "O

---

35. A Mhum – Mum (*speaking to her directly*)
36. Cò a th' ann an ...? – Who is...?

tha!" thuirt e. "Ròin! Ròin! Ròin!"

"Cò a th' anns an rìgh seo?" thuirt MacCodruim.

"Tha Rìgh nan Ròn a' fuireach anns a' mhuir. Tha taigh mòr aige agus tha e fon uisge. Tha an taigh glè mhòr le tòrr uinneagan agus tòrr dhorsan ann. 'S e an taigh aige an taigh as brèagha[37] anns a' mhuir. Tha tòrr chloinne[38] aige cuideachd agus tha iad a' fuireach anns an taigh mhòr, a' snàmh agus a' seinn."

"Taigh a tha fon uisge? Na ròin a' seinn?" thuirt MacCodruim. "Tha sin gòrach!"

"Tha na ròin glè mhath air seinn, a ghràidh," thuirt Ròna. "Cha chuala tu iad, oir cha robh thu ag èisteachd.

"A-nise, bha nighean aig Rìgh nan Ròn[39]. B' e Mara an t-ainm a bh' oirre. Aon latha, cha robh i anns an taigh mhòr. 'A Mhara[40], càit a bheil

---

37. 'S e an taigh aige an taigh as brèagha – His house is the most beautiful house
38. tòrr chloinne – many children
39. bha nighean aig Rìgh nan Ròn. – the King of Seals had a daughter
40. A Mhara – Mara (*speaking directly to her*)

thu?' thuirt an Rìgh. 'Mo nighean bhrèagha, càit a bheil thu?' Cha robh i anns an taigh. Às dèidh còig latha, thàinig ròn beag chun an Rìgh agus thuirt e ..."

"Dè tha sin?" thuirt MacCodruim. "Ròn a' bruidhinn? Tha sin gòrach!"

"Bidh na ròin a' bruidhinn cuideachd, a ghràidh," thuirt Ròna ri MacCodruim. "Cha chuala tu iad, oir cha robh thu ag èisteachd."

"Athair, ist!" thuirt Eilidh. "Tha mi ag iarraidh èisteachd."

"Às dèidh còig latha," thuirt Ròna.

"Thàinig ròn beag chun an Rìgh. 'A Rìgh,' thuirt e. 'Chunnaic mi Mara. Chunnaic mi i.'
'Càit a bheil i?' thuirt an Rìgh. 'Càit a bheil mo nighean Mara?'
'Chunnaic mi i a' snàmh gu creagan faisg air cladach. Bha bàta ann agus bha daoine anns a' bhàta. Chuala iad i a' seinn agus chaidh iad gu na creagan. Nuair a thàinig iad faisg air Mara, chuir iad lìon anns an uisge. Chaidh Mara anns an lìon agus chuir iad i anns a' bhàta. Tha mi

duilich, a Rìgh,' thuirt an ròn beag."

"Dè rinn an Rìgh[41], a Mhum?" thuirt Calum. "An robh e brònach?"

"Uill, a ghràidh, bha an Rìgh glè bhrònach. Bha fearg air cuideachd. 'Mharbh na daoine mo nighean Mara,' thuirt e. 'A-nise, tha sinn a' dol a mharbhadh dhaoine.' Mharbh iad tòrr iasgairean ach bha Rìgh nan Ròn fhathast brònach.
'Feumaidh sinn stad,' thuirt e, 'Chan eil seo ceart. Bha na daoine ceàrr Mara a mharbhadh ach tha seo ceàrr cuideachd. Feumaidh sinn stad.' Agus stad iad. Gach oidhche, ma tha thu faisg air a' mhuir agus ma tha thu ag èisteachd, bidh am muir a' bruidhinn. Bidh e ag ràdh 'Mara... Mara...' "

Bha iad sàmhach fad mionaid.

"Na ròin a' seinn agus am muir a' bruidhinn ... tha sin cho gòrach agus cho neònach," thuirt MacCodruim. "Tha mi a' dol dhan leabaidh."

---

41. Dè rinn an Rìgh? = What did the King do?

Rinn e sin. Chaidh e dhan leabaidh ach dh'fhuirich Ròna aig an uinneag ri taobh an teine, a' coimhead air a' chladach agus air a' mhuir.

An Còta

An ath latha, chaidh Ròna agus a' chlann chun a' chladaich còmhla ri MacCodruim. Chuir Ròna baga le biadh anns a' bhàta. Bha MacCodruim deiseil airson a dhol[42] a dh'iasgach ach stad e.

Choimhead e air Ròna agus air a' chlann. Bha Calum agus Eilidh a' snàmh anns a' mhuir. Cha robh iad coltach ri clann eile. Bha iad glè mhath air snàmh. Bha iad coltach ri dà iasg, oir bha iad cho luath anns an uisge. Chaidh Ròna anns an uisge còmhla ris a' chlann cuideachd. Bha i a' coimhead sona. Anns an taigh, cha robh i cho sona. Ach air a' chladach agus anns an uisge, bha i sona a-rithist.

Coimhead MacCodruim air a' chlann agus air Ròna a' snàmh anns a' mhuir. *Tha mi fortanach*, smaoinich e. Chuir e am bàta anns an uisge agus chaidh e gu muir.

---

42. deiseil airson a dhol – ready to go

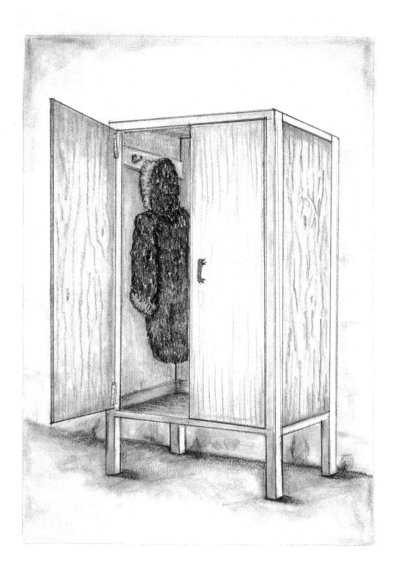

Choimhead e anns a' bhaga anns an fheasgar.
Bha aran, càise, buntàta, agus maorach ann. Bha
e taingeil gun robh biadh math aige[43] ged a bha
maorach ann. Gach madainn, bhiodh Ròna a' cur
baga le biadh anns a' bhàta. Bhiodh biadh blasta
aige[44] nuair a bha e air a' mhuir.

An oidhche sin, bha a' chlann anns an leabaidh.
Bha Ròna na suidhe air an leabaidh, ag innse
sgeulachd. Bha MacCodruim na shuidhe ri
taobh an teine, a' dèanamh lìon mòr. Bha esan ag
èisteachd ris an sgeulachd cuideachd.

"… agus bha còta aice," bha Ròna ag ràdh. "Còta
draoidheil. Chan fhaca iad i, oir bha an còta oirre[45]
…"

"A Mhum," thuirt Eilidh. "An robh còta draoidheil
agaibh riamh[46]?"

"Bha, a ghràidh, bha," thuirt Ròna. "Bha còta
draoidheil donn agam."

---

43. gun robh biadh math aige – that he had good food
44. Bhiodh biadh blasta aige – He would have tasty food
45. oir bha an còta oirre – because she was wearing the coat
46. An robh còta draoidheil agaibh riamh? – Did you ever have
a magic coat?

"Càit a bheil e?"

"Chan eil mi cinnteach."

"Tha còta donn anns a' phreasa," thuirt Eilidh. "An robh e coltach ri sin?"

"Anns a' phreasa ...?" Stad Ròna agus choimhead i air a' phreasa a bha ri taobh an dorais.

"Dè tha ceàrr, a Mhum?" thuirt Calum.

"Chan eil càil[47], a ghràidh," thuirt Ròna, a' coimhead air MacCodruim le fearg. Chan fhaca e i.

"A-nise, bha còta draoidheil aice. Chan fhaca iad i, oir bha an còta oirre. An oidhche sin, chaidh i ..."

Sin sgeulachd neònach, smaoinich MacCodruim. *Còta draoidheil ... hah!* Gu h-obann, chuimhnich e dè bha anns a' phreasa. An còta donn! An còta gleansach mìn a ghoid e bho Ròna bliadhnaichean air ais ... Obh, obh!

Choimhead MacCodruim air Ròna. Bha i fhathast ag innse an sgeulachd do Chalum agus do

---

47. Chan eil càil – Nothing

dh'Eilidh. Chaidh e dhan phreasa gu sàmhach. Bha an còta fhathast ann – an còta gleansach donn. Chuir e e ann am bogsa ri taobh an teine.

Nuair a bha Ròna deiseil leis an sgeulachd innse[48] agus a bha a' chlann sàmhach anns an leabaidh, chaidh i dhan phreasa. Choimhead i ann fad mionaid.

Chunnaic MacCodruim sin agus thuirt e: "Dè tha thu ag iarraidh anns a' phreasa, a ghràidh?"

"Chan eil càil," thuirt i agus chaidh iad dhan leabaidh.

---

48. deiseil leis an sgeulachd innse – finished telling the story

Tha Mi Duilich

An ath latha, bha MacCodruim air a' chladach. Bha e ri taobh a' bhàta aige, a' dèanamh deiseil airson a dhol a dh'iasgach. Bha Ròna còmhla ris. Bha i fuar a' mhadainn sin agus bha sin caran neònach.

"Uill, feumaidh mi falbh, a ghràidh," thuirt e ri Ròna. Cha tuirt i càil.

"Tha thu caran sàmhach, a ghràidh."

Bha Ròna fhathast sàmhach.

"Dè tha ceàrr, a Ròna?"

Cha tuirt i càil. Chuir i baga anns a' bhàta. Cha robh MacCodruim a' tuigsinn carson a bha i sàmhach. 'S dòcha gun robh fearg oirre[49]. Chuir e am bàta anns an uisge agus chaidh Ròna air ais dhan taigh.

---

49. 'S dòcha gun robh fearg oirre. – Maybe she was angry

Cha robh an t-iasgach cho math an latha sin.
Fhuair MacCodruim trì èisg bheaga ach cha robh
fearg air[50]. Bha e a' smaoineachadh air Ròna. Dè
bha ceàrr?

Bha an t-acras air anns an fheasgar agus
choimhead e anns a' bhaga. Cha robh biadh ann.
Bha pìos pàipeir ann. Litir bheag.

A Ghràidh,

*Tha thu math air iasgach. Ghoid thu tòrr èisg bhon
mhuir. Ghoid thu mi fhìn bhon mhuir cuideachd.
Carson a rinn thu e? Carson a ghoid thu e?*

*Tha taigh againn agus tha clann bhrèagha againn.
Tha dachaigh bhrèagha againn. Dh'fhuirich mi
còmhla riut bliadhna às dèidh bliadhna. Smaoinich
mi air a' mhuir gach madainn, gach feasgar, agus
gach oidhche. Smaoinich mi air cho fuar 's a tha e.
Cho math 's a tha snàmh.*

*Tha e ceàrr gu bheil mi an seo. Feumaidh mi falbh.
Tha mi duilich.*

-Ròna

---

50. cha robh fearg air – he wasn't angry

Chaidh MacCodruim air ais chun a' chladaich gu luath. Ruith e dhan taigh. Cha robh Ròna na suidhe aig an uinneag. Cha robh i ri taobh an teine. Cha robh i anns an leabaidh.

"Athair! Tha thu air ais!" thuirt Calum agus Eilidh. Ruith iad thuige. "Càit a bheil Mum?"

"Nach eil i an seo?"

"Chan eil."

Chaidh MacCodruim chun a' bhogsa ri taobh an teine gu luath. Cha robh an còta gleansach donn ann. Obh, obh. Càit an robh i? Ruith e chun a' chladaich. 'S dòcha gun robh i[51] a' snàmh. 'S dòcha gun robh i ... Ach cha robh Ròna air a' chladach.

Chunnaic MacCodruim rudeigin donn anns an uisge. Ròn. Bha an ròn a' coimhead air. Choimhead e air fad mionaid. An uair sin, chaidh e fon uisge. Gu h-obann, bha MacCodruim a' tuigsinn. Bha i a' dol dhachaidh.

"A Ròna!" thuirt e, an duine brònach air a' chladach. "A Ròna!"

---

51. 'S dòcha gun robh i – Maybe she was

Faclair Gàidhlig is Beurla

Gaelic - English glossary

a	*her, his*
a	*to*
a bhith	*to be; being*
a dhèanamh	*to do*
a dhol	*to go*
a dh'iasgach	*to fish*
a dh'ithe	*to eat*
a mharbhadh	*to kill*
a ràdh	*to say*
a bha	*that is*
a bheil	*is?; are?*
a bheil an t-acras ort?	*are you hungry?*
a bh'oirre: b' e __ an t-ainm a bh'oirre	*her name was __*
a bu bhrèagha	*the most beautiful*
a ghràidh	*sweatheart, dear*
a-nis(e)	*now*
a-rithist	*again*
a tha	*that is*
a' bruidhinn	*speaking/talking*
a' chlann	*the children*
a' cluich	*playing*

a' coimhead	*looking, watching*
a' coimhead brònach	*looking sad*
a' coimhead oirre	*looking at/watching her*
a' coimhead orm	*watching for me*
a' cur	*putting*
a' dèanamh	*doing/making*
a' dèanamh deiseil	*making ready*
a' dol	*going*
a' dol chun	*going to the*
a' fàs	*growing; becoming*
a' fuireach	*living, staying*
a' mhuir	*the sea*
a' seinn	*singing*
a' smaoineachadh	*thinking*
a' snàmh	*swimming*
a' tighinn	*coming*
a' tuigsinn	*understanding*
ach	*but*
ag èisteachd	*listening*
ag iarraidh	*wants/wanting*
ag iasgach	*fishing*
ag innse	*telling*
ag ithe	*eating*
ag ràdh	*saying*
agam: chan eil __ agam	*I don't have*

agus	*and*
aig	*at*
ainm: b' e __ an t-ainm a bh'oirre	*her name was__*
air	*on; on him; on it*
eòlach air	*know about*
coimhead air	*looking at him*
air ais	*back*
airson	*for*
an ath	*the next*
an diugh	*today*
an robh?	*was? were?*
an seo	*here, this*
an siud	*there (far away)*
an t-ainm: b' e __ an t-ainm a bh'oirre	*her name was __*
b' e __ an t-ainm a bh'air	*__ was his name*
an t-acras: a bheil an t-acras ort?	*are you hungry?*
an uair sin	*...then...*
ann	*in; in it*
ann an	*in a*
anns	*in the*
aon	*one*
a h-aon	*one*

aonaranach	*lonely*
aran	*bread*
an aran	*the bread*
an t-aran	*the bread*
as brèagha	*the most beautiful*
às dèidh	*after*
athair	*father*
b' e __ an t-ainm a bh'oirre	*her name was ___*
b' e __ an t-ainm a bh'air	*____ was his name*
b' iad: gum b' iad	*that they were*
baga	*bag*
bainne	*milk*
bàta	*boat*
beag	*little*
beairteach	*rich, wealthy*
bean	*wife*
bh' air: b' e __ an t-ainm a bh'air	*__ was his name*
bh'oirre: b' e __ an t-ainm a bh'oirre	*her name was __*
bha	*was*
a bha	*that was*
bha e	*he was*
bha i	*she was*
bha __ aca	*they had __*

bha __ againn	*we had __*
bha __ aige	*he had __*
bha __ ann	*there was/were __*
bha __ aice	*she had __*
bhiodh	*would (be)*
bhith: gu bhith	*almost*
bho	*from*
bhon	*from the*
biadh	*food*
bidh	*will be*
blasta	*tasty*
blàth	*warm*
bliadhna	*a year*
bliadhna a dh'aois	*years old*
bliadhnaichean	*years*
bogsa	*a box*
boireannach	*woman*
am boireannach	*the woman*
bòrd	*table*
brèagha	*beautiful*
brònach	*sad, sorrowful*
brot	*soup*
bruidhinn: a' bruidhinn	*speaking, talking*
buntàta	*potatoes*
caibideil	*chapter*

càil	*anything*
càise	*cheese*
càit?	*where?*
cànan	*language*
caran	*a bit, somewhat*
ceàrr	*wrong*
ceart	*correct; right*
ceithir	*four*
a ceithir	*four*
cha	*didn't, wasn't*
cha chuala tu	*didn't hear...*
cha d' fhuair mi	*I didn't get*
cha do dh'ith	*didn't eat*
cha robh	*was not*
cha robh __ aige	*he didn't have __*
cha tàinig	*didn't come*
cha tuirt i	*she didn't say*
chaidh	*went*
chan	*didn't, wasn't, don't, isn't*
chan eil	*is not*
chan eil ___ agam	*I don't have*
chan eil mi	*I am not*
chan fhaca	*didn't see*
chladaich: chun a' **chladaich**	*to the shore*

chlann: a' chlann	*the children*
chluich	*played*
cho	*so, as*
cho __ ri __	*as __ as __*
choimhead	*looked/watched*
choimhead e air	*he looked at*
choimhead i air	*she looked at*
chota	*coat*
chuala	*heard*
cha chuala tu	*didn't hear*
chuimhnich	*remembered*
chuir	*put*
chun	*to the*
chun a' chladaich	*to the shore*
chun an rìgh	*to the king*
chun an teine	*to the fire*
chunnaic	*saw*
chupannan	*cups*
ciamar?	*how?*
cinnteach	*certain, sure*
cladach	*shore, rocky beach*
clann	*children*
a' chlann	*the children*
cnòthan	*nuts*
cò?	*who?*

còcaireachd	*cooking, cookery*
coig	*five*
a còig	*five*
coltach ri	*similar to*
còmhla	*together*
còmhla ri	*with (someone)*
còmhla ris	*with him/the*
còmhla riut	*with you*
còta	*a coat*
creagan	*rocks*
na creagan	*the rocks*
cuideachd	*as well, also, too*
cuideigin	*someone*
cupa	*a cup*
cupannan	*cups*
dachaigh	*home*
dà	*two*
daoine	*people*
na daoine	*the people*
daor	*expensive*
dè?	*what?*
Dè an t-ainm a th' ort?	*What is your name?*
dèanamh	*doing, making*
a' dèanamh	*doing, making*
deiseil	*ready, finished*

dh'fhuirich	*lived, stayed*
dh'ith	*ate*
dh'aois: bliadhna a dh'aois	*years old*
dh'òl	*drank*
dhà	*two*
a dhà	*two*
dhachaidh	*home*
dhan	*to the; into the*
dhèanamh: a dhèanamh	*to do, to make*
dhi	*to her, for her*
dhol: a dhol	*to go*
dhut	*to you, for you*
dìnnear	*dinner*
an dìnnear	*the dinner*
do	*for*
donn	*brown*
doras	*door*
dorais	*of the door*
dorsan	*doors*
draoidheil	*magical*
duilich	*sorry*
duine	*a man/person*
e	*it/he*
eil: nach eil	*is not*
eile	*another, other*

eilean	*island*
an t-Eilean	*the island*
èisg	*fish (plural)*
na h-èisg	*the fish (plural)*
èisteachd	*listen, listening*
eòlach air	*know about; be familiar with*
esan	*he (emphasized)*
fad	*for*
fad mionaid	*for a minute*
faisg (air)	*near*
falbh	*going away*
a' falbh	*going away*
falt	*hair*
a falt	*her hair*
faochagan	*shellfish*
fàs: a' fàs	*growing; becoming*
fearg	*anger*
bha fearg air	*he was angry*
le fearg	*with anger, angrily*
feargach	*angry*
gu feargach	*angrily*
feasgar	*afternoon, evening*
anns an fheasgar	*in the afternoon*
feumaidh	*need, must*

feumaidh mi	*I need*
feumaidh sinn	*we must, we need*
fhathast	*still, yet*
fheàrr: na b' fheàrr	*better*
fhèin	*self*
ris fhèin	*to himself*
tha __ agad fhèin	*you yourself have __*
fhìn: mi fhìn	*myself*
fhuair	*got*
nach d' fhuair mi	*that I didn't get*
cha d' fhuair mi	*I didn't get*
fon	*under the*
fortanach	*lucky, fortunate*
fuar(a)	*cold*
ga tuigsinn	*understand(ing) her*
gach	*every*
gad thuigsinn	*understand(ing) you*
ged	*although*
ghoid	*stole*
gille	*a boy*
glasraich	*vegetables*
glè	*very*
gleansach	*shiny*
gòrach	*silly; stupid; foolish*
gorm	*blue*

grianach	*sunny*
gu	*to (something)*
gu bheil	*that __ is*
gu bheil mi	*that I am*
gu bhith	*almost*
gu feargach	*angrily*
gu h-obann	*suddenly*
gu luath	*quickly*
gu sàmhach	*quietly*
gum b' iad	*that they were*
gun	*without*
gun robh	*that was*
gun robh iad	*that they were*
i	*she, it*
iad	*they, them*
gum b' iad	*that they were*
iasg	*fish*
an t-iasg	*the fish*
iasgach	*fishing*
ag iasgach	*fishing*
an t-iasgach	*the fishing*
a dh'iasgach	*to fish*
iasgair	*fisherman*
iasgairean	*fishermen*
idir	*at all*

Is mise __	*My name is __*
ise	*she (emphasized)*
Ist!	*Wheesht!, Shhh!*
ithe	*eating*
a dh'ithe	*to eat*
ag ithe	*eating*
ri ithe	*to eat*
latha	*day*
le	*with*
leabaidh	*bed*
leis	*with the*
lìon	*net*
litir	*a letter*
luath	*fast*
gu luath	*quickly*
madainn	*morning*
maorach	*shellfish*
mar	*like*
mar seo	*like this*
math	*good*
math air	*good at*
mharbh	*killed*
mhath: glè mhath	*very good*
mhòr	*big*
mi	*I, me*

chan eil mi	*I am not*
chunnaic mi	*I saw*
feumaidh mi	*I need*
mi fhìn	*myself*
nach d' fhuair mi	*that I didn't get*
rinn mi	*I made, I did*
tha mi	*I am*
mìn	*smooth*
mionaid	*a minute*
mo	*my*
mòr	*big*
muir	*ocean, sea*
am muir	*the ocean*
a' mhuir	*the ocean*
gu muir	*to sea*
na b' fheàrr	*better*
Na bi gòrach!	*Don't be silly!*
na shuidhe	*sitting (male)*
na suidhe	*sitting (female)*
nach d' fhuair mi	*that I didn't get..*
nach eil	*is not*
nach robh i __?	*wasn't she __?*
nan	*of the*
nas fheàrr (na)	*better (than)*
neònach	*weird, odd, unusual*

nighean	*a girl*
no	*or*
nuair (a)	*when...*
obh obh!	*oh no!*
ochd	*eight*
a h-ochd	*eight*
oidhche	*night*
oir	*because*
oirre	*on her*
pàipear	*paper*
pìos	*a piece*
poit	*a pot*
preasa	*closet*
ri	*to*
cho __ ri __	*as __ as __*
coltach ri	*similar to*
còmhla ri	*with the*
ri ithe	*to eat*
ri taobh	*beside*
riamh	*ever*
ribh	*to you (plural)*
rìgh	*king*
a rìgh!	*O king!*
rinn	*made, did*
ris	*to him, to the*

còmhla ris	*with him, with the*
ris fhèin	*to himself*
rithe	*to her*
robh: nach robh i?	*wasn't she ...?*
cha robh __ aige	*he didn't have __*
roimhe	*before*
ròin	*seals (the animals)*
na ròin	*the seals*
ròn	*a seal (the animal)*
rudeigin	*something*
ruith	*ran*
's dòcha	*maybe, perhaps*
sàmhach	*quiet*
gu sàmhach	*quietly*
seachd	*seven*
a seachd	*seven*
seinn: a' seinn	*singing*
an t-seinn	*the singing*
seo: an seo	*this*
sgeulachd	*a story*
sgìth	*tired*
sgìth de	*tired of*
shona: glè shona	*very happy*
shuidh	*sat*
shuidhe: na shuidhe	*sitting (male)*

sia	*six*
a sia	*six*
sin	*that/those*
sinn	*we*
sìoda	*silk*
smaoinich	*thought*
snàmh: a' snàmh	*swimming*
sona	*happy*
stad	*stop; stopped*
stad e	*he stopped*
stad iad	*they stopped*
suidhe: na suidhe	*sitting (female)*
sùilean	*eyes*
a sùilean	*her eyes*
taigh	*house*
taingeil	*thankful*
tàinig: cha tàinig	*didn't come*
taobh: ri taobh	*beside*
teine	*fire*
an teine	*the fire*
tha	*is, am, are*
a tha	*that is*
ma tha thu	*if you are*
tha __ againn	*we have*
tha __ agam	*I have*

thàinig	*came*
thu	*you*
ma tha thu	*if you are*
thuige	*to him*
thuigsinn: gad	*understand(ing) you*
thuigsinn	
thuirt	*said*
thuirt e	*he said*
thuirt i	*she said*
tighinn	*coming*
tòrr	*many*
trì	*three*
a trì	*three*
tu	*you*
tuigsinn	*understanding*
ga tuigsinn	*understanding her*
uill, ...	*well, ...*
uinneag: an uinneag	*the window*
uinneagan	*windows*
uisge	*water*
an t-uisge	*the water*

Acknowledgments

Mòran taing to Ian MacDonald, Michael Bauer, Laura Howitt, Kirstin Plante, Jarmila Doubravová, and all my test readers. Without their guidance and input, this story wouldn't be what it is today.

In addition, I'd like to offer *ceud mìle taing* to my Gaelic teachers during my studies at St Francis Xavier University: Catrìona Parsons, the late Kenneth Nilsen, Michael Linkletter, and Michael Newton. Without their encouragement and support while I was starting down the Gaelic path, I wouldn't be who I am today.

About the author

Hailing from Maine, USA, Jason Bond was drawn to the Celtic languages through an interest in folklore. This road led to Nova Scotia, where he studied both Celtic Studies and Education at St. Francis Xavier University. Jason has been teaching *Gàidhlig* since 2010, in Scotland, Europe, North America, and beyond. He is passionate about sharing Gaelic culture through Gaelic, not English.

Arcos novels connect people to the world

People who acquire a new language learn more than just language skills. We also learn to understand the lives and habits of another culture. We need stories to gain insight into the countries where the language is spoken, and to understand and connect to the people who live in those countries: stories about people in their own environment; about travelers who visit the country or newcomers who are learning how to get around; and stories about historical characters that you may encounter in street names, movies, or books. All these stories enhance our understanding and empathy for cultures that are different from our own.

Arcos novels connect people to people

Even in the simplest readers, the psychology of the characters is realistic and layered, so that it is easy for the reader to connect to them and relate events and emotions to their own lives and experiences. Arcos stories are mostly positive and light, using a mild humor which allows for more serious topics to be treated while still maintaining a positive feel. Furthermore, our novel collection embraces an inclusive approach, offering positive role models from different cultures, genders, ages, and abilities.

Arcos novels connect people to the language

Reading stories in a new language not only creates connections between language and daily life, culture, emotions, prior knowledge, and experience, but also enhances language acquisition. For us to acquire new language, repeated exposure to words and language structures is essential. That is why every single word that appears in Arcos novels is repeated at least 4 times (and often more) in the course of the story.

Readers recognize these words with increasing ease with each encounter, thus creating space in their minds to understand a greater variety of sentence structures. Even in beginner level novels, readers comprehend more complex sentences when the words are easily recognizable, helping them become more agile with the language as they read.

ARCOS
PUBLISHERS

Printed in Great Britain
by Amazon